Au moment de l' **heure des histoires**, tandis que l'un regarde
les images et l'autre lit le texte, une relation s'enrichit,
une personnalité se construit, naturellement, durablement.

Pourquoi ? Parce que la lecture partagée est une expérience
irremplaçable, un vrai point de rencontre. Parce qu'elle développe
chez nos enfants la capacité à être attentif, à écouter, à regarder,
à s'exprimer. Elle élargit leur horizon et accroît leur chance
de devenir de bons lecteurs.

Quand ? Tous les jours, le soir, avant de s'endormir, mais aussi
à l'heure de la sieste, pendant les voyages, trajets, attentes...
La lecture partagée permet de retrouver calme et bonne humeur.

Où ? Là où l'on se sent bien, confortablement installé, écrans
éteints... Dans un espace affectif de confiance et en s'assurant,
bien sûr, que l'enfant voit parfaitement les illustrations.

Comment ? Avec enthousiasme, sans réticence à lire
« encore une fois » un livre favori, en suscitant l'attention
de l'enfant par le respect du rythme, des temps forts,
de l'intonation.

*Ce livre est dédié à tous les petits garnements
et, particulièrement, à ceux
qui montent sur le mur de mon jardin.*

ISBN : 978-2-07-061525-4
Titre original : *The Tale of Tom Kitten*
Publié pour la première fois par Frederick
Warne, Londres 1907
© Frederick Warne & Co. 1907, pour le texte
et les illustrations
© Frederick Warne & Co. 2002, pour les nouvelles
reproductions des illustrations de Beatrix Potter
© Gallimard Jeunesse 1980, pour la traduction
française, 2011 pour la présente édition

Numéro d'édition : 267777
Loi n° 49-956 du 16 juillet 1949 sur les publications
destinées à la jeunesse
Premier dépôt légal : décembre 2011
Dépôt légal : juin 2014
Frederick Warne & Co est le propriétaire des
droits, copyrights et marques du nom et des
personnages de Beatrix Potter.
Imprimé en France par I.M.E.
Maquette : Barbara Kekus

Dépôt légal : décembre 2011

Certifié PEFC
Ce produit est issu
de forêts gérées
durablement et de
sources contrôlées.
pefc-france.org

Beatrix Potter

TOM CHATON

GALLIMARD JEUNESSE

Il était une fois trois chatons
qui s'appelaient Moufle, Tom Chaton
et Mitoufle. Leur fourrure était douce
et brillante. Souvent, ils faisaient
des cabrioles devant la porte et jouaient
dans la poussière.

Un jour, leur mère, madame Tabitha
Tchutchut, avait invité des amies
à prendre le thé. Elle alla chercher
ses trois chatons pour les laver
et les habiller avant que ses hôtes
n'arrivent.

Elle commença par les débarbouiller
(voici Mitoufle).

Puis elle les brossa (voici Moufle).

Enfin, elle leur peigna la queue et les
moustaches (celui-ci, c'est Tom Chaton).
Tom avait mauvais caractère et se mit
à griffer sa mère.

Tabitha Tchutchut habilla Mitoufle
et Moufle de robes blanches et de
collerettes. Pour Tom Chaton, elle sortit
d'une commode un costume très
élégant, mais pas très confortable.

Tom était bien potelé et il avait beaucoup grandi depuis quelque temps. Plusieurs boutons de son costume sautèrent, mais sa mère les recousit aussitôt.

Quand les trois chatons furent prêts,
Tabitha eut l'imprudence de les renvoyer
jouer au jardin pour qu'ils la laissent
tranquille pendant qu'elle préparait
les toasts.
– Faites attention de ne pas salir
vos costumes, les enfants ! Marchez
sur vos pattes de derrière et gardez-vous
d'aller jouer près du tas de fumier
ou du poulailler. N'allez pas non plus
à la porcherie ni à la mare aux canards !

Mitoufle et Moufle descendirent l'allée
du jardin d'un pas mal assuré. Presque
aussitôt, toutes deux se prirent les pieds
dans leur robe et tombèrent le nez
en avant.
Quand Moufle et Mitoufle se relevèrent,
il y avait plusieurs grosses taches
sur leurs vêtements.

– Grimpons sur les rocailles et allons nous asseoir sur le mur du jardin, proposa Mitoufle.

Elles mirent leur robe sens devant derrière et sautèrent d'un bond sur le mur. Mais la collerette blanche de Mitoufle tomba sur le chemin qui passait juste au-dessous.

Tom Chaton, empêtré dans son pantalon,
n'arrivait pas à sauter. Il escalada les rocailles
en piétinant les fougères et en semant
ses boutons à droite et à gauche.

Il était tout dépenaillé lorsqu'il atteignit
le mur. Mitoufle et Moufle essayèrent
de remettre de l'ordre dans ses vêtements.
Mais son chapeau tomba et ses derniers
boutons sautèrent.

Tandis qu'ils s'affairaient ainsi,
ils entendirent les pas de trois canards
qui marchaient, peti-peta, l'un derrière
l'autre, en se dandinant le long
du chemin. Ils avançaient à petits pas,
peti-peta, de-ci de-là.

Ils s'arrêtèrent et observèrent les chatons de leurs petits yeux surpris.

Deux des canards, Rebecca et Sophie
Canétang, ramassèrent le chapeau
de Tom Chaton et la collerette de
Mitoufle. L'une se coiffa du chapeau,
l'autre attacha la collerette à son cou.

Moufle se mit à rire si fort qu'elle en tomba du mur. Mitoufle et Tom Chaton la suivirent, mais, en descendant du mur, ils perdirent ce qui leur restait de vêtements.

– Monsieur Canétang, dit Mitoufle, venez nous aider à rhabiller Tom Chaton.

Monsieur Canétang s'avança en se dandinant et vint ramasser un à un les vêtements de Tom.

Mais il s'en revêtit lui-même, et ils lui
allaient encore moins bien qu'au chaton.
– Quelle belle matinée ! dit le canard.

Puis il se remit en route, accompagné de Rebecca et de Sophie Canétang, peti-peta, de-ci de-là.

Bientôt, Tabitha Tchutchut descendit
dans le jardin et trouva ses chatons
sur le mur sans aucun vêtement.

Elle les fit descendre, leur donna à chacun
une tape et les ramena à la maison.
– Mes amies vont arriver d'un moment
à l'autre et vous n'êtes pas présentables !
Vous me faites honte !

Elle les envoya dans leur chambre
et je suis obligée de dire que Tabitha
fit croire à ses amies que ses trois chatons
étaient au lit avec la rougeole, ce qui,
bien sûr, n'était pas vrai.

En fait, les trois chatons n'étaient pas du
tout au lit. Bien au contraire, ils étaient en
train de s'amuser et les invitées de Tabitah
les entendaient faire beaucoup de bruit
au-dessus de leur tête, ce qui les empêcha
de boire leur thé tranquillement.

Je crois qu'un jour, il faudra que j'écrive
un autre livre, un gros livre pour vous
en dire plus sur Tom Chaton.

Quant aux canards, ils retournèrent
dans leur mare et tous leurs vêtements
tombèrent au fond de l'eau, faute
de boutons pour les attacher.

Monsieur Canétang, Rebecca et Sophie les ont longtemps cherchés et les cherchent encore.

Fin

L'auteur-illustratrice

Beatrix Potter est née le 28 juillet 1866, dans une famille du barreau londonien. Elle passe son enfance et son adolescence dans l'ambiance austère et compassée de la haute bourgeoisie victorienne. Pour elle, point d'amis, point d'école. Les années se suivent avec leur rituel immuable de séjours à la mer, en Écosse, ou à la campagne dans la région des lacs. On se déplace en famille, avec gens de maison et en voiture à cheval. Elle trompe la solitude et l'ennui à coups de crayon et de pinceau. Observatrice avisée, elle croque tout ce qui l'entoure, faune et flore, et se prend de passion pour les champignons. Bien vite ses cahiers se remplissent et le troisième étage de la maison familiale se transforme en un véritable zoo : elle y élève lapins, souris blanches, oiseaux. Les années passent, plus de trente, avant qu'une lettre envoyée à un petit garçon, pour lequel elle invente une histoire autour de son cher lapin Peter, ne donne le départ à la courte mais très féconde période de création qui la rendra légendaire. Éditée chez Warne à partir de 1901, elle publie en treize ans une vingtaine de livres. Forte personnalité, dotée d'un caractère assez abrupt, bourru et parfois autoritaire, elle a créé tout un monde peuplé de personnages croqués sur le vif et toujours pleins d'espièglerie. Artiste authentique d'une extrême sensibilité, cette pionnière de l'écologie, à sa façon, est décédée en 1943, à l'âge de 77 ans.